CONTOS DE IONESCO PARA CRIANÇAS

Eugène Ionesco • Etienne Delessert

CONTOS DE IONESCO PARA CRIANÇAS

Tradução
Dirce Waltrick do Amarante

© Editions Gallimard 1983 et 2002.
© 2008, Martins Editora Livraria Ltda., São Paulo, para a presente edição.

Produção editorial
Eliane de Abreu Santoro

Revisão
Simone Zaccarias
Dinarte Zorzanelli da Silva

Produção gráfica
Demétrio Zanin

Dados Internacionais de Catalogação na Publicação (CIP)
(Câmara Brasileira do Livro, SP, Brasil)

Ionesco, Eugène
  Contos de Ionesco para crianças / [ilustração] Etienne Delessert ; tradução Dirce Waltrick do Amarante . – São Paulo : Martins, 2008.

  Título original: Contes n. 1 et 2.
  ISBN 978-85-99102-98-5

  1. Contos – Literatura infanto-juvenil I. Delessert, Etienne. II. Título.

08-03377   CDD-028.5

Índices para catálogo sistemático:

1. Contos : Literatura infantil 028.5
2. Contos : Literatura infanto-juvenil 028.5

Todos os direitos desta edição no Brasil reservados à
Martins Editora Livraria Ltda.
R. Prof. Laerte Ramos de Carvalho, 163
01325-030 São Paulo SP Brasil
Tel.: (11) 3116.0000 Fax: (11) 3115.1072
info@martinseditora.com.br
www.martinseditora.com.br

CONTO Nº 1

Josete já é uma mocinha, tem trinta e três meses.
Uma manhã, como faz todos os dias, ela se dirige
com seus passinhos curtos para a porta do quarto
dos pais. Tenta empurrar a porta, tenta abri-la igual
a um cachorrinho. Perde a paciência e os chama,
acordando então seus pais, que, pela cara,
não entendem o que está acontecendo.

Nesse dia, papai e mamãe estavam cansados.
Na noite passada, eles tinham ido ao teatro,
ao restaurante e, logo depois do restaurante, ao
teatro de fantoches. E agora estavam com preguiça.
Isso não é nada bom para os pais!...

A empregada, ela também perde a paciência,
abre a porta do quarto dos pais de Josete e diz:
– Bom dia, senhora, bom dia, senhor,
aqui está o jornal de vocês,
aqui estão as correspondências que receberam,
aqui está o café com leite e açúcar,
aqui está o suco de frutas, aqui estão os croissants,
aqui está a torrada, aqui está a manteiga,
aqui está a geléia de laranja,
aqui está a compota de morango,
aqui está o ovo estrelado, aqui está o presunto
e aqui está a filhinha de vocês.

Os pais estavam indispostos porque, esqueci de dizer, depois do teatro de fantoches eles ainda foram ao restaurante. Os pais não quiseram tomar o café com leite, não quiseram a torrada, não quiseram os croissants, não quiseram o presunto, não quiseram o ovo estrelado, não quiseram a geléia de laranja, não quiseram o suco de frutas deles, também não quiseram a compota de morango (não era mesmo de morango, era de laranja).
– Dê tudo isso a Josete – diz o pai à empregada – e, quando ela tiver comido, traga-a aqui de volta.

A empregada toma a menina nos braços. Josete esbraveja. Mas, como é gulosa, consola-se na cozinha, comendo: a geléia da mamãe, a compota do papai, os croissants do papai e da mamãe; e bebe o suco de frutas.
– Nossa! Que comilona! – diz a empregada. – Sua barriga é maior que o olho!...

E, para que a menina não passasse mal,
a empregada é quem toma o café com leite, come
o ovo estrelado, o presunto e também o arroz-doce
que sobrou da noite passada.

Enquanto isso, papai e mamãe voltam a dormir
e roncam. Não por muito tempo. A empregada
torna a levar Josete para o quarto dos pais.
– Papai!... – diz Josete –, Jaqueline (é o nome
da empregada), Jaqueline comeu o seu presunto.

– Não faz mal – diz papai.
– Papai – diz Josete –, me conte uma história.
E enquanto a mamãe dorme, porque está ainda exausta da noitada, papai conta uma história a Josete.

– Era uma vez uma menina que se chamava Jaqueline.
– Como Jaqueline? – pergunta Josete.
– Sim, mas não é a Jaqueline. Jaqueline era uma menina. Ela tinha uma mãe que se chamava sra. Jaqueline.

O pai da pequena Jaqueline se chamava
sr. Jaqueline. A pequena Jaqueline tinha duas
irmãs que se chamavam Jaqueline, dois priminhos
que se chamavam Jaqueline, duas primas que
se chamavam Jaqueline, e uma tia e um tio
que se chamavam Jaqueline.

O tio e a tia, que se chamavam Jaqueline, tinham
dois amigos que se chamavam sr. Jaqueline e sra.
Jaqueline, que tinham uma menina que se chamava
Jaqueline e um menino que se chamava Jaqueline,
e a menina tinha bonecas, três bonecas,
que se chamavam:

Jaqueline, Jaqueline e Jaqueline. O menino tinha um amiguinho que se chamava Jaqueline e dois cavalos de madeira que se chamavam Jaqueline, e soldados de chumbo que se chamavam Jaqueline.

Um dia, a pequena Jaqueline, com seu pai
Jaqueline, seu irmãozinho Jaqueline,
sua mãe Jaqueline, vai ao parque.
Lá, ela reencontra os seus amigos Jaqueline
com a menina Jaqueline, com o menino Jaqueline,
com os soldados de chumbo Jaqueline, com
as bonecas Jaqueline, Jaqueline e Jaqueline.

Papai está contando suas histórias à pequena Josete
quando a empregada entra no quarto. Ela diz:
– O senhor vai deixar essa menina doida!

Josete diz à empregada:
– Jaqueline, a gente vai ao mercado?
(Como eu disse, a empregada também se chamava Jaqueline.)
Josete vai ao mercado fazer compras com a empregada.

Papai e mamãe voltam a dormir porque estão muito cansados, na noite passada eles foram ao restaurante, ao teatro, de novo ao restaurante, ao teatro de fantoches, depois de novo ao restaurante.

Josete entra no mercado com a empregada e lá encontra uma menina acompanhada dos pais.

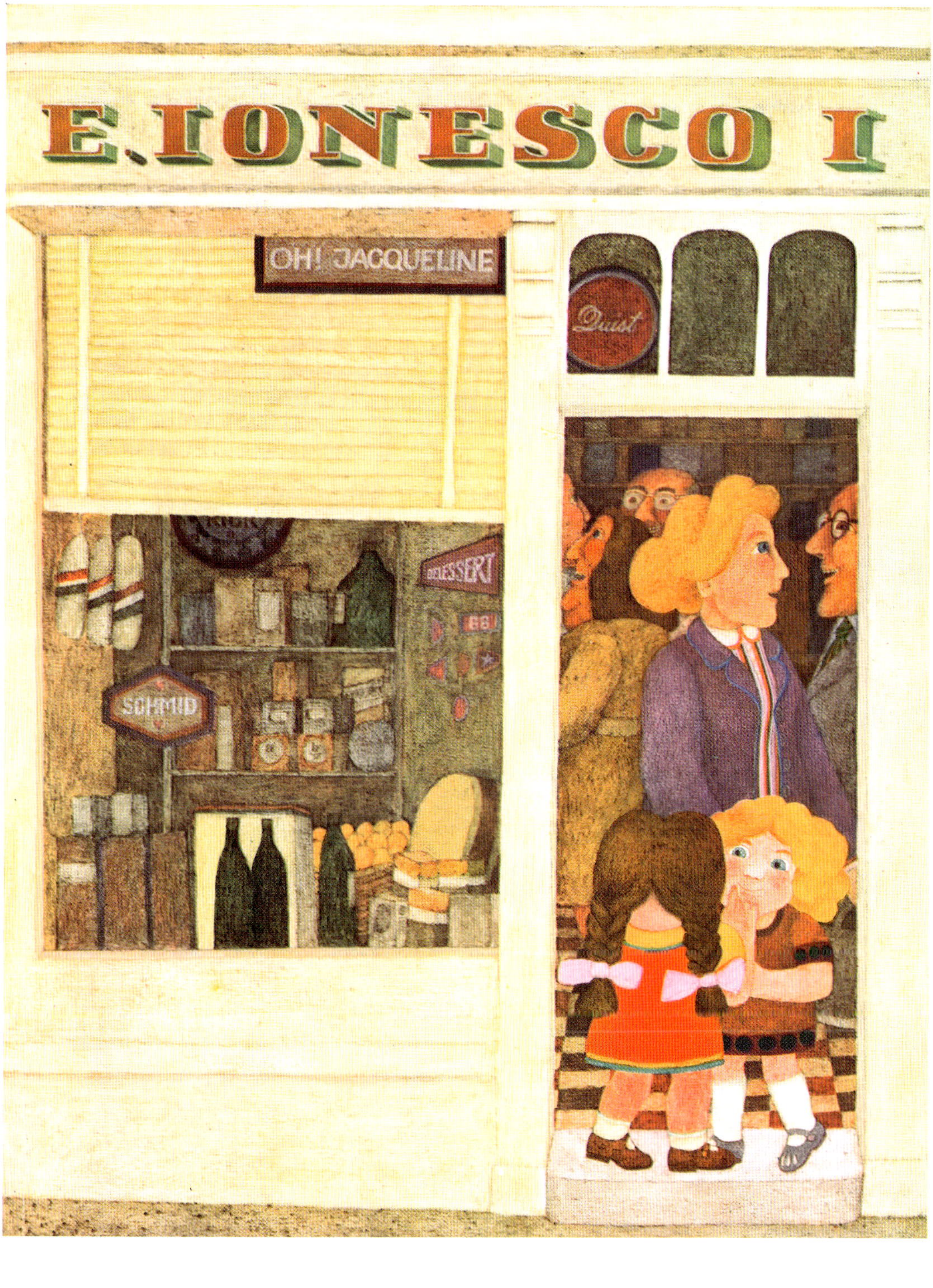
E.IONESCO I
OH! JACQUELINE
Quist
DELESSERT
SCHMID

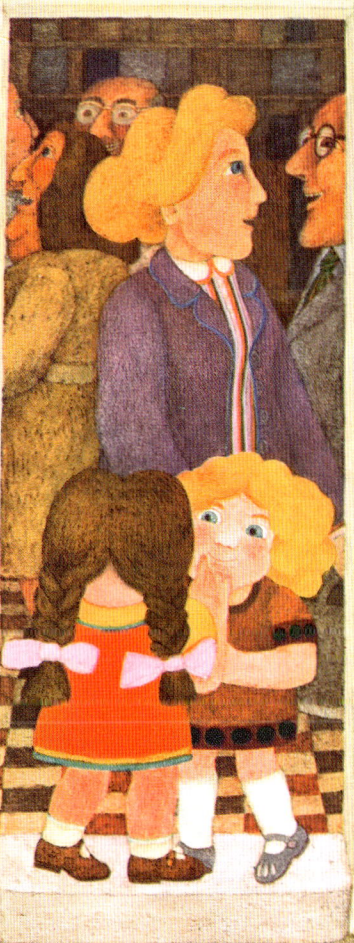

Josete pergunta à menina:
– Quer brincar comigo? Como é o seu nome?
– Jaqueline – responde a menina.
– Já sei – diz Josete à menina –, o seu pai se chama
Jaqueline, o seu irmãozinho se chama Jaqueline,
a sua boneca se chama Jaqueline, o seu avô se
chamava Jaqueline, o seu cavalinho-de-pau
se chama Jaqueline, a sua casa se chama Jaqueline,
o seu peniquinho se chama Jaqueline...

Então o dono do mercado, a dona do mercado, a mamãe de uma outra menina, todos os clientes que estavam no mercado se voltaram com os olhos arregalados para Josete.

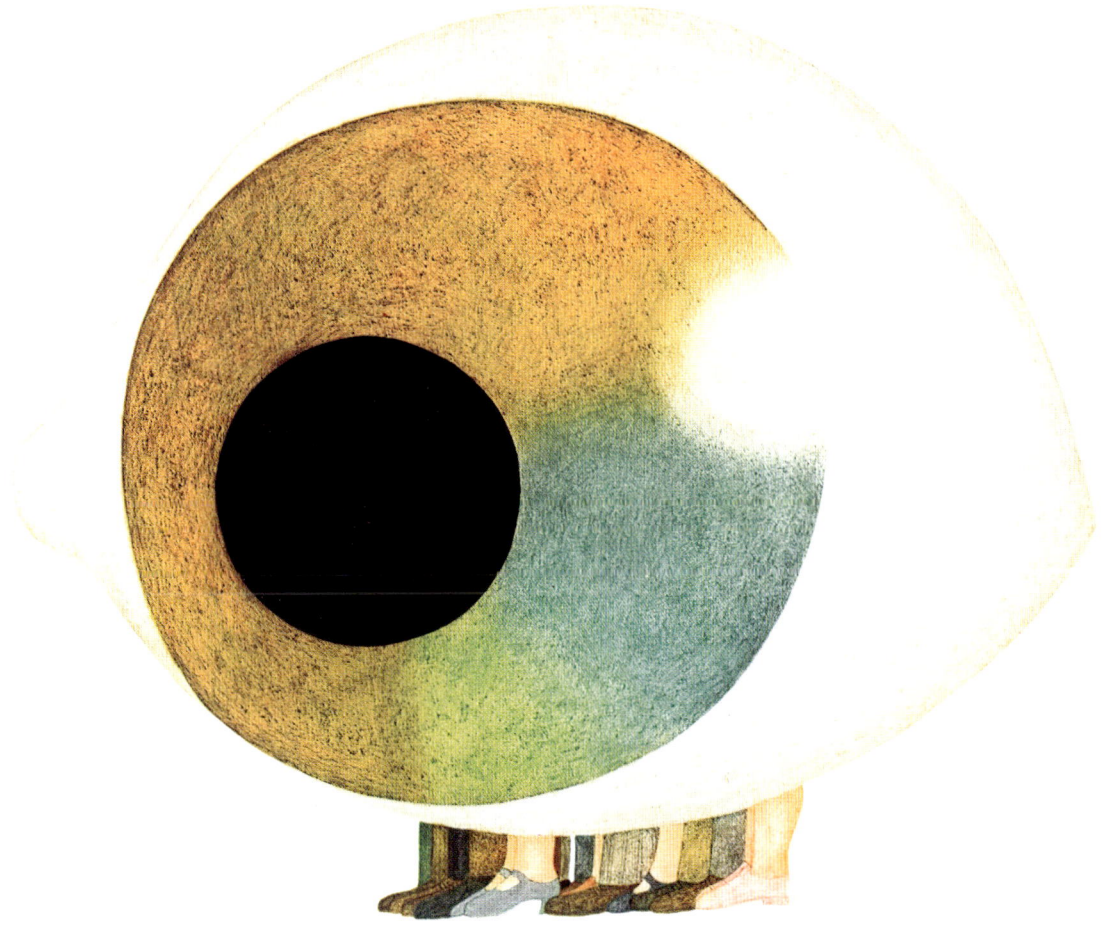

– Não é nada – diz a empregada, tranqüilamente –, não se preocupem, são as histórias sem pé nem cabeça que o pai dela conta.

CONTO Nº 2

Naquela manhã, o papai de Josete levantou cedo. Ele havia dormido bem porque, na noite anterior, não tinha ido ao restaurante comer chucrute. Não foi e também não tomou a sopa de cebola na feira. Também não comeu o chucrute de casa. O médico o proibiu. Papai está de dieta. E, como estava com muita fome ontem à noite, foi dormir bem cedo, pois "o sono alimenta".

Josete bateu à porta do quarto dos pais. A mamãe havia saído. Ela não estava na cama, talvez estivesse no armário, mas o armário estava trancado à chave. Josete não pôde ver sua mamãe.

Jaqueline, a empregada, disse a Josete que sua mamãe havia saído cedo porque ela também foi se deitar muito cedo: ela não foi ao restaurante, não foi ao teatro de fantoches, não foi ao teatro, não comeu chucrute.

Jaqueline, a criada, contou a Josete que sua mamãe tinha acabado de sair de sombrinha rosa e luvas rosa e sapatos rosa e chapéu rosa com flores sobre o chapéu, bolsa rosa, espelhinho dentro da bolsa, com o seu belo vestido florido, o belo casaco florido, as belas meias floridas, um belo buquê de flores nas mãos, porque a mamãe é graciosa,
a mamãe tem olhos bonitos como duas flores.
Tem uma boca que parece uma flor.
Tem um narizinho muito rosa que parece uma flor.
Tem um cabelo que parece uma flor.
Tem flores no cabelo.

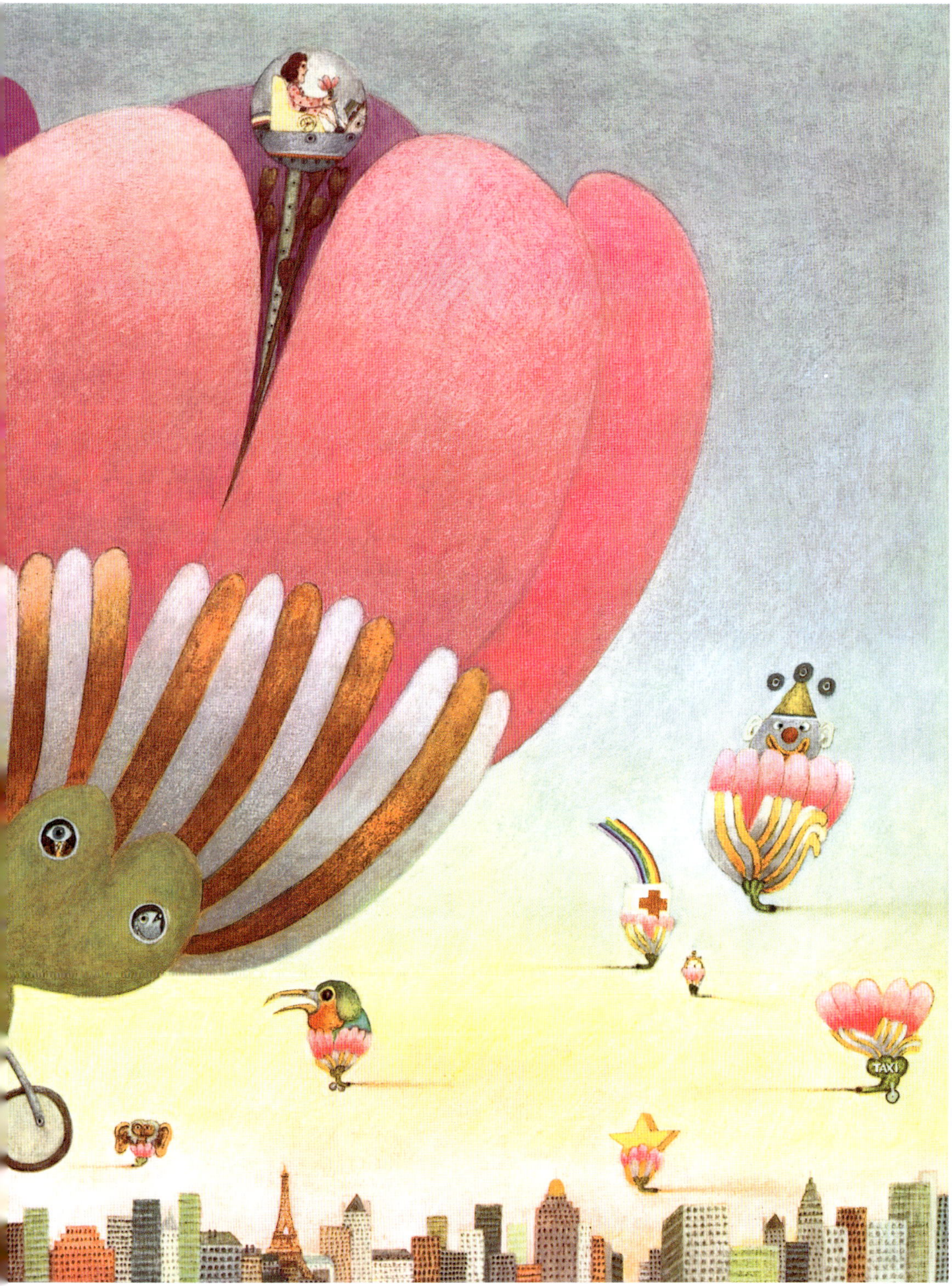
TAXI

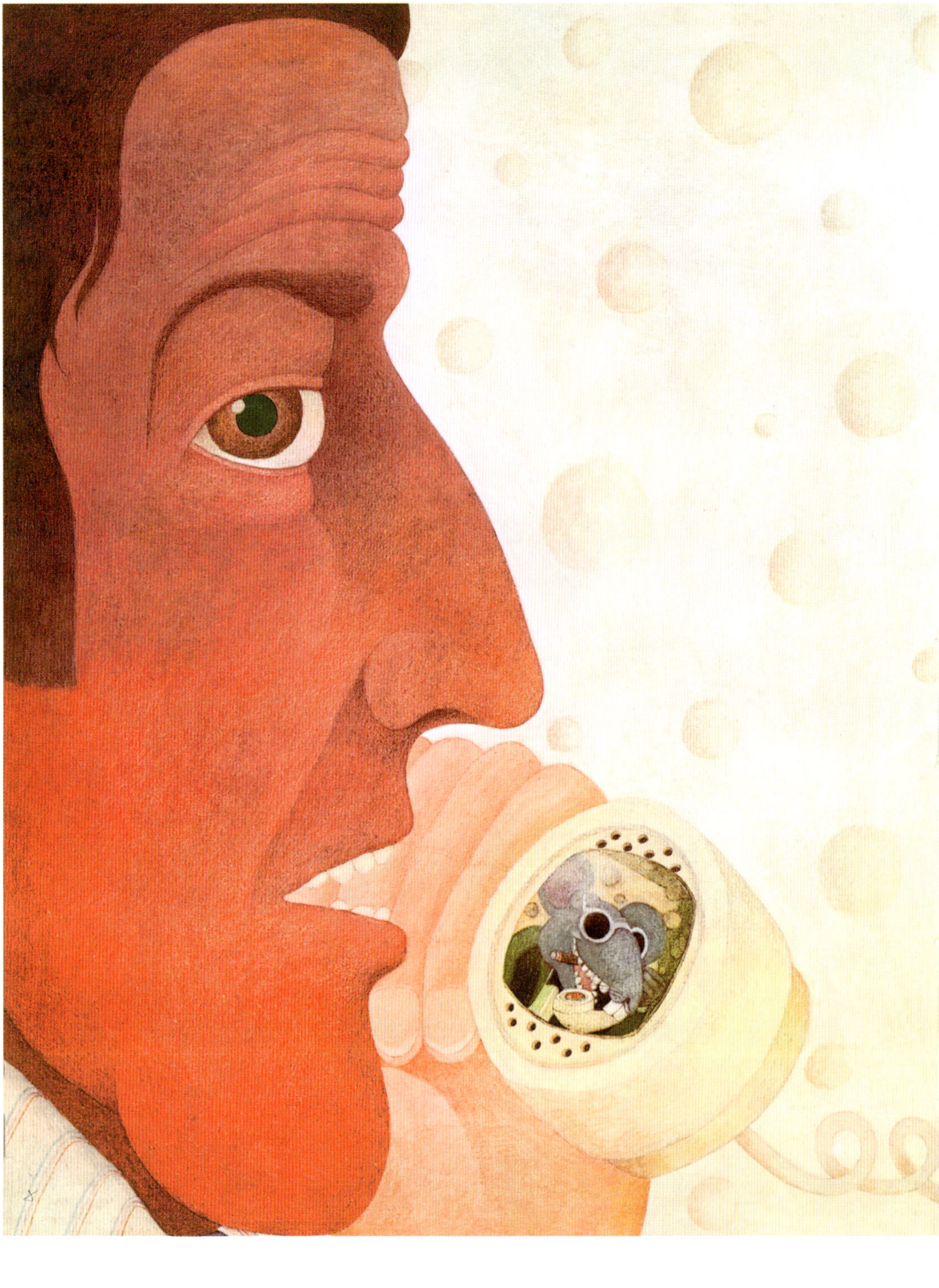

Então Josete vai para o escritório ver seu pai. Papai telefona e fuma e fala ao telefone. Ele diz:
– Alô, alô, quem está falando?... Já lhe disse para não me ligar mais. O senhor está me incomodando. Não vou perder nem mais um minuto do meu tempo.
Josete pergunta para o pai:
– Você está no telefone?
Papai desliga. Papai diz:
– Isto não é um telefone.
Josete responde:
– É claro que é um telefone. Foi a mamãe que disse. Foi a Jaqueline que disse.
Papai responde:
– Sua mãe e a Jaqueline se enganaram. Sua mãe e a Jaqueline não sabem como é que isto se chama. Isto se chama queijo.

– Isso se chama queijo? – pergunta Josete. – Então a gente vai fingir que isso é um queijo.
– Não – diz o papai –, porque queijo não se chama queijo, chama-se caixa de música.
Caixa de música se chama tapete.
Tapete se chama lâmpada.
Teto se chama chão.
Chão se chama teto.
Parede se chama porta.

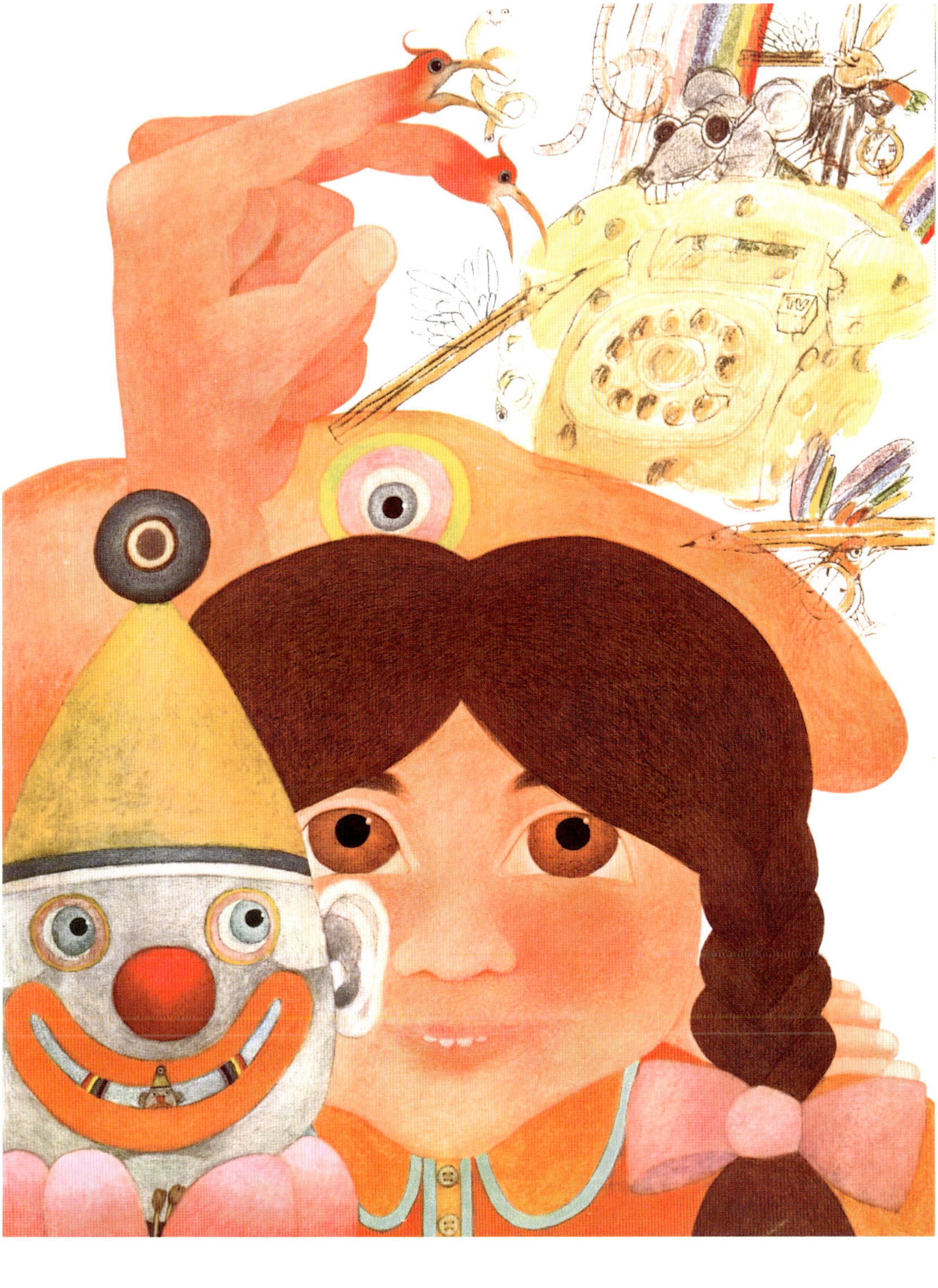
TV

E papai ensina a Josete o sentido exato das palavras.
A cadeira é uma janela. A janela é uma caneta-tinteiro. O travesseiro é um pão. Já o pão, o pão é uma cama. Os pés são orelhas. Os braços são pés. A cabeça é o bumbum. O bumbum é a cabeça. Os olhos são dedos. Os dedos são olhos.

Então Josete fala como o pai a ensinou a falar.
Ela diz:
– Vejo pela cadeira quando como meu travesseiro. Abro a parede e caminho com minhas orelhas. Tenho dez olhos para caminhar, tenho dois dedos para ver, me sento no chão com minha cabeça. Ponho meu bumbum no teto. Quando comi a caixa de música, coloquei a compota sobre a cama, e comi uma sobremesa gostosa. Beba a janela, papai, e faça para mim uns desenhos.

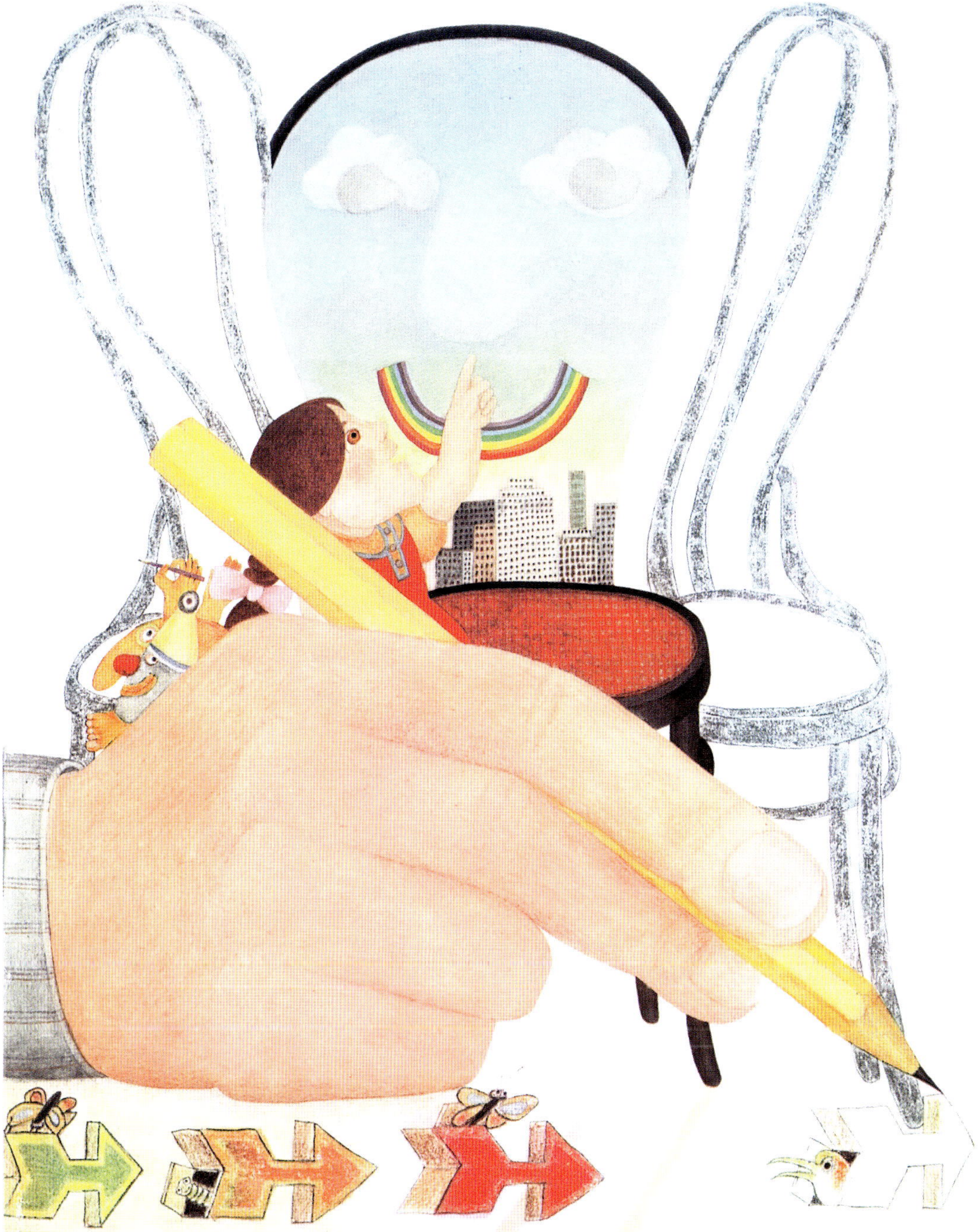

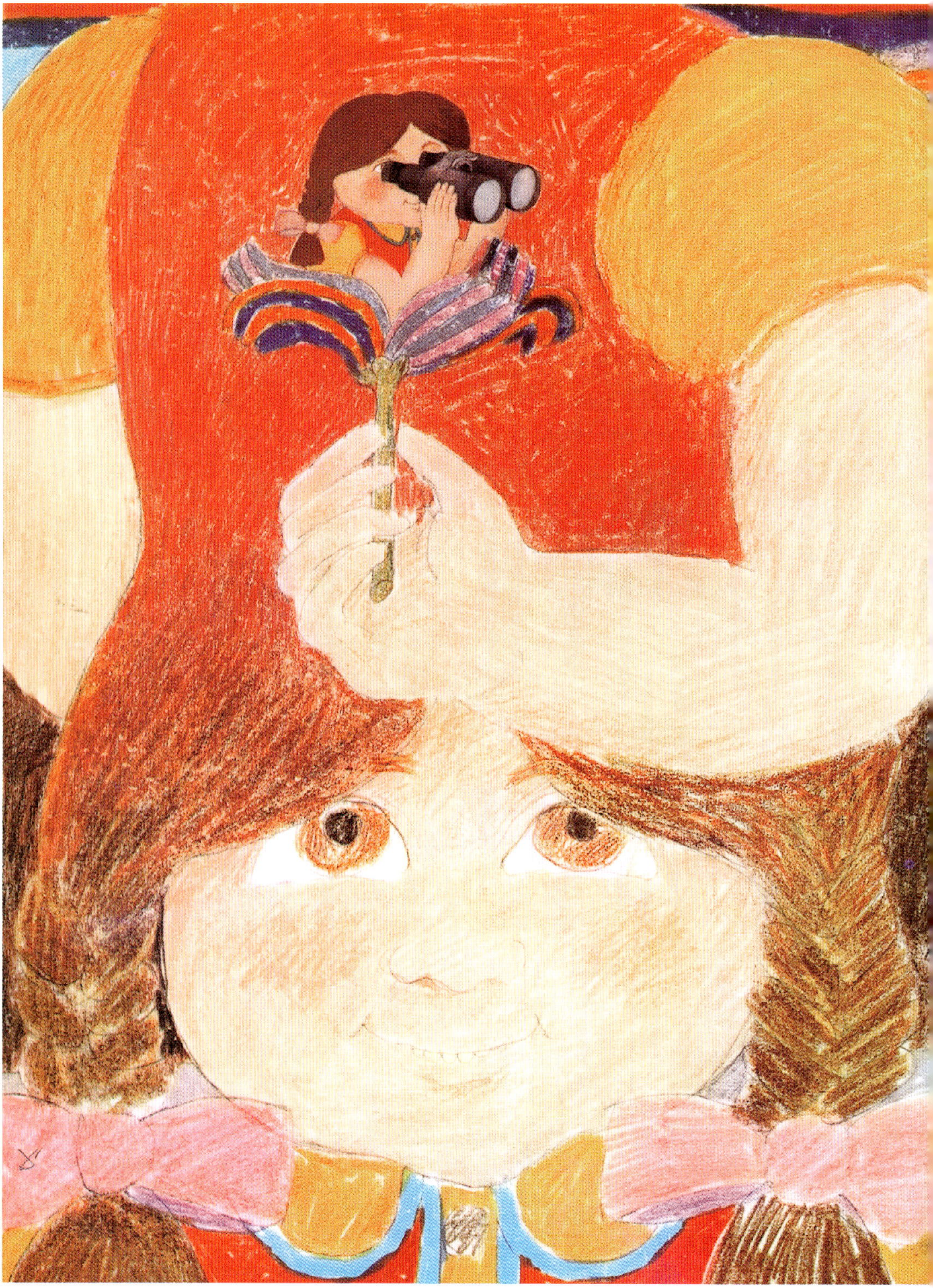

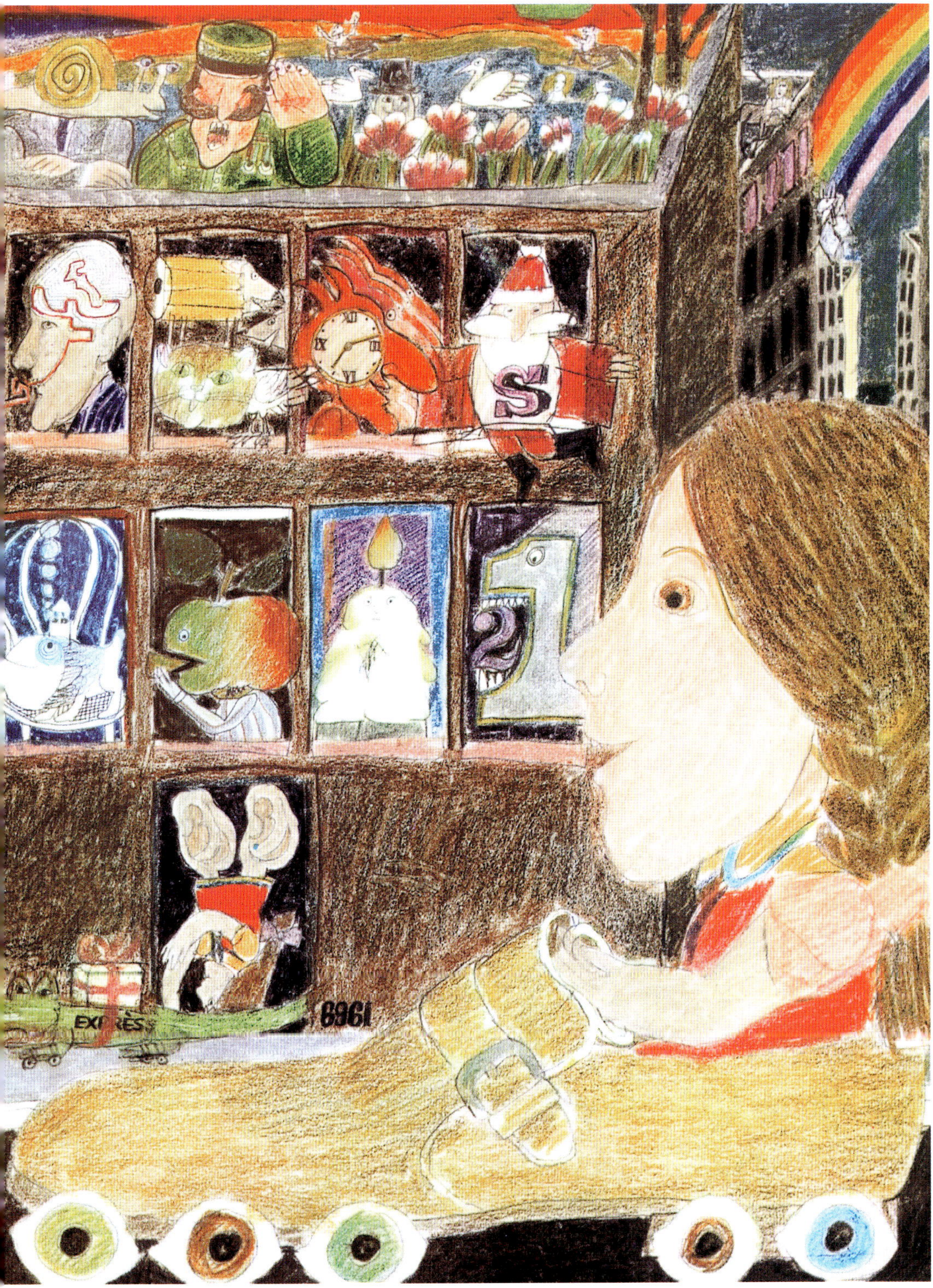

Josete fica com uma dúvida:
– Como se diz desenhos?
Papai respondeu:
– Desenhos?... como se diz desenhos?...
não devemos dizer "desenhos", devemos dizer "desenhos".

Jaqueline chega. Josete corre ao encontro dela e lhe diz:
– Jaqueline, sabe, os desenhos não são desenhos, os desenhos são desenhos.
Jaqueline diz:
– Ah! De novo as bobagens do seu pai!... Claro, minha menina, os desenhos não se chamam desenhos, eles se chamam desenhos.
Então papai diz a Jaqueline:
– Foi exatamente isso que a Josete disse.
– Não – responde Jaqueline ao papai –, ela disse o contrário.
– Não, foi você.
– Não, foi você.
– Vocês dois disseram a mesma coisa – diz Josete.

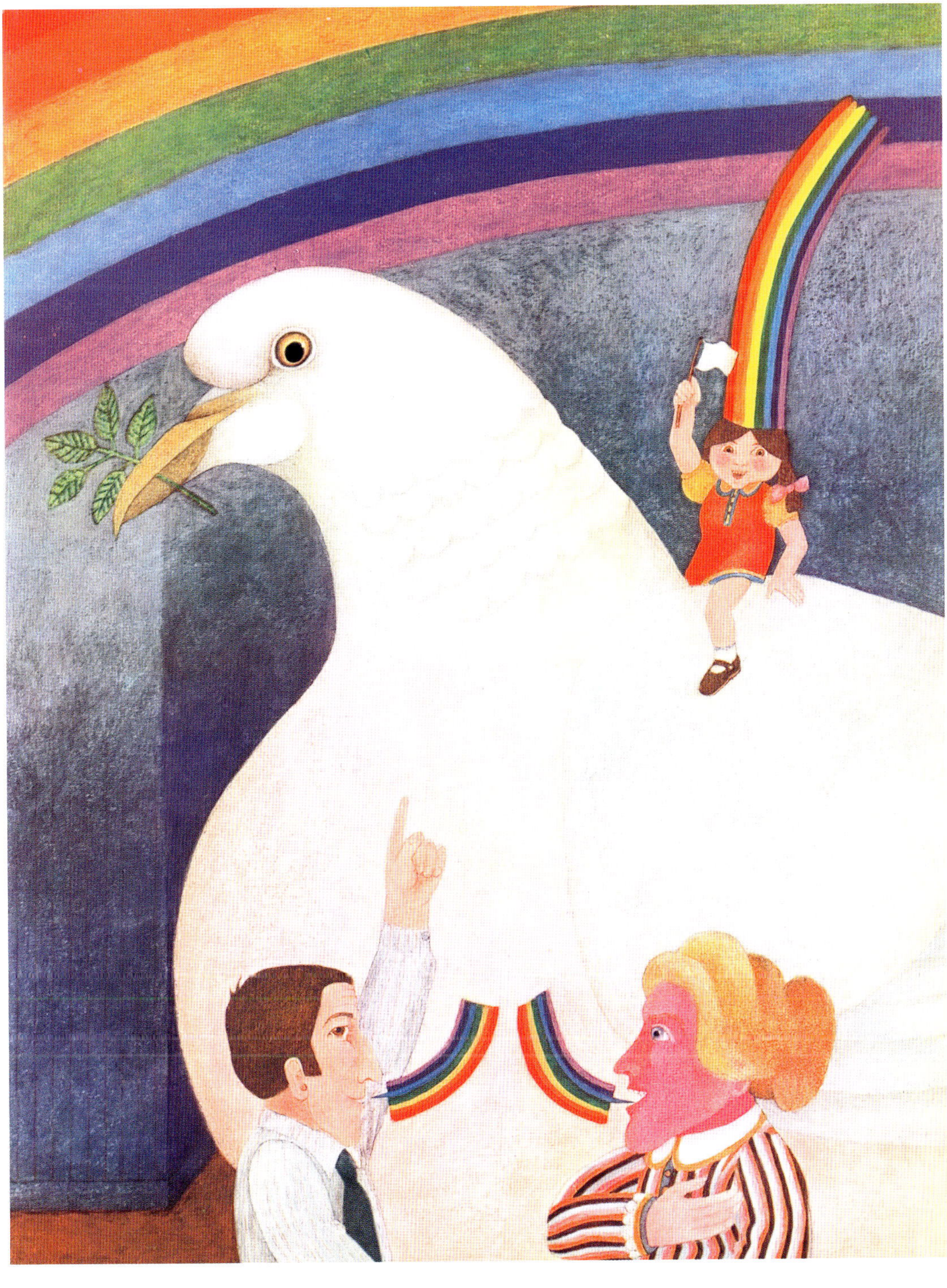

A propósito, eis que a mamãe chega como uma flor, com flores no vestido florido, com a bolsa florida, o chapéu florido, os olhos como flores, a boca que se parece com uma flor...
– Aonde você foi tão cedo? – pergunta papai.
– Colher flores – diz mamãe.
E Josete diz:
– Mamãe, você abriu a parede.